WORD SEARCH
Puzzles

bendon®

1

Let's Play!

 Ball

 Bike

 Dance

 Jump

 Run

 Skate

 Soccer

 Tennis

Let's Play!

```
I V B R K S P
N V V D T B S
E S V A E A K
F U B N N L A
Q M I C N L T
Z N K E I S E
K L E B S J D
R X J U M P W
H S O C C E R
P P P X R I U
Z R S R I S N
```

3

© Disney

Meet Lambie!

- 💗 **Ballerina**
- 💗 **Bow**
- 💗 **Dance**
- 💗 **Friend**
- 💗 **Hugs**
- 💗 **Lamb**
- 💗 **Skirt**
- 💗 **Sweet**

Meet Lambie!

A B O W Z P A
P H D P N U B
D W U M X S A
O S B Y Y K L
M D H F S I L
X A U R W R E
L N G I E T R
A C S E E I I
M E F N T Y N
B N Y D Z H A
J I E E B S Y

© Disney

Wash Your Hands!

- ♡ **Cough**
- ♡ **Dry**
- ♡ **Germs**
- ♡ **Sink**
- ♡ **Sneeze**
- ♡ **Soap**
- ♡ **Towel**
- ♡ **Water**

Wash Your Hands!

S	I	N	K	S	C	D
U	R	S	F	L	O	R
G	M	O	H	F	U	Y
E	M	A	G	J	G	W
R	F	P	Q	T	H	A
M	Y	N	S	O	A	T
S	O	H	N	W	Y	E
G	V	C	E	E	W	R
B	T	Q	E	L	C	A
S	B	U	Z	P	H	Z
O	G	V	E	Q	Q	A

Where Does it Hurt?

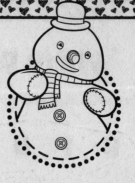

♡ **Arm**

♡ **Belly**

♡ **Boo-boo**

♡ **Finger**

♡ **Head**

♡ **Knee**

♡ **Leg**

♡ **Toe**

Where Does it Hurt?

U V U J Z L S

F V B T Q M P

I N O I J E K

N T O E H L N

G B B O E E E

E E O I A G E

R L O B D N P

D L T K A R M

B Y S P S X U

B Z M R D Y S

Y H C W G B E

Friends are the Best!

 Buddy

 Fun

 Games

 Group

 Hugs

 Laugh

 Love

 Pal

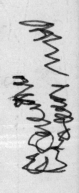

Friends are the Best!

```
N  Z  R  W  Z  P  P  W
B  T  J  Z  O  A  A  Z
F  U  N  G  B  L  L  D
A  L  G  R  O  U  P  P
L  O  V  E  H  Y  Y  Q
X  G  R  Y  Y  A  A  H
R  A  B  L  R  O  O  D
H  M  U  A  F  K  K  I
U  E  D  U  R  T  T  H
G  S  D  G  D  T  T  R
S  S  Y  H  A  L  L  V
```

Clinic Characters

- ☑ **Anna**
- ☑ **Aurora**
- ☑ **Ben**
- ☑ **Buddy**
- ☑ **Glo-Bo**
- ☑ **Lenny**
- ☑ **Lula**
- ☑ **Riggo**

Clinic Characters

A	A	Z	L	A	F	V
N	A	D	K	U	B	B
N	H	H	A	R	U	R
A	P	Z	P	O	D	N
G	K	S	F	R	D	M
L	L	G	E	A	Y	J
O	E	L	A	R	L	I
B	N	U	A	I	S	B
O	N	L	V	G	Y	E
X	Y	A	Y	G	J	N
J	J	N	D	O	B	I

An Apple a Day...

✓ **Core**

✓ **Fruit**

✓ **Juicy**

✓ **Peel**

✓ **Red**

✓ **Ripe**

✓ **Seeds**

✓ **Tasty**

An Apple a Day...

```
T  G  F  H  H  U  K
V  Z  C  A  Z  S  I
   J  O  R  M  S  F  A
U  C  I  B  E  R  X
I  O  R  Y  E  U  T
C  R  I  F  D  I  A
Y  E  P  R  S  T  S
I  T  E  E  N  J  T
P  D  B  D  A  V  Y
P  E  E  L  T  K  S
Y  P  N  H  F  B  W
```

How Do
You Feel?

♡ **Cheerful**

♡ **Excited**

♡ **Giggly**

♡ **Good**

♡ **Goofy**

♡ **Happy**

♡ **Joyful**

♡ **Sleepy**

16

How Do You Feel?

J O C F X C F
O G E J L H S
Y O X A Z E P
F O C N L E K
U D I G S R H
L H T I L F A
Y T E G E U P
R D D G E L P
H G J L P O Y
P X D Y Y V S
J G O O F Y F

17

© Disney

Keeping Warm

- ♥ **Boots**
- ♥ **Coat**
- ♥ **Gloves**
- ♥ **Hat**
- ♥ **Mittens**
- ♥ **Pants**
- ♥ **Scarf**
- ♥ **Socks**

Keeping Warm

B	O	O	T	S	Y	G
M	I	F	O	W	W	G
S	O	C	K	S	U	O
Q	M	S	U	J	M	I
J	X	X	D	V	I	E
W	O	P	A	N	T	S
R	A	C	O	A	T	M
S	C	A	R	F	E	L
U	I	W	Q	E	N	M
G	L	O	V	E	S	W
H	A	T	R	F	E	C

Doc's Clinic

- ♡ **Checkup**
- ♡ **Cure**
- ♡ **Help**
- ♡ **Measure**
- ♡ **Notes**
- ♡ **Patient**
- ♡ **Prescribe**
- ♡ **Scale**

Doc's Clinic

```
K  S  L  I  V  P  K
T  C  W  M  W  A  V
P  A  T  E  A  T  H
R  L  P  A  A  I  C
E  E  U  S  M  E  H
S  P  D  U  C  N  E
C  U  N  R  U  T  C
R  H  I  E  R  L  K
I  N  O  T  E  S  U
B  Q  P  I  D  W  P
E  G  H  H  E  L  P
```

The Food Pyramid

- ♡ **Dairy**
- ♡ **Fats**
- ♡ **Fruits**
- ♡ **Grains**
- ♡ **Meat**
- ♡ **Protein**
- ♡ **Sweets**
- ♡ **Veggies**

The Food Pyramid

```
F  S  H  C  T  S  N
A  H  Y  F  S  Z  C
T  S  F  E  V  F  P
S  W  W  K  E  R  R
G  E  M  U  G  U  O
R  E  E  H  G  I  T
A  T  A  E  I  T  E
I  S  T  H  E  S  I
N  N  M  X  S  E  N
S  G  T  X  E  F  M
D  A  I  R  Y  V  D
```

"Eye" See You!

- ♡ **Blurry**
- ♡ **Clear**
- ♡ **Eye Chart**
- ♡ **Eyes**
- ♡ **Frame**
- ♡ **Glasses**
- ♡ **Lens**
- ♡ **Sight**

"Eye" See You!

E Y F E C I W

Y Q R Y T I L

E J A E P V E

S B M C G Q N

L L E H L Y S

P U Z A A T Q

S R F R S Y M

I R E T S J S

G Y G T E I X

H J K R S D U

T C L E A R I

© Disney

Outside Fun

- ♡ **Bars**
- ♡ **Bike**
- ♡ **Hopscotch**
- ♡ **Kite**
- ♡ **Slide**
- ♡ **Soccer**
- ♡ **Swing**
- ♡ **Tag**

26

Outside Fun

L O G Z C S E

T F M T H W S

A J U B O I V

G K O I P N F

S W R K S G N

L K S E C X O

I L O G O C K

D E C M T A I

E P C I C U T

K R E Q H K E

F B R B A R S

Day at the Dentist

- ♡ **Brush**
- ♡ **Floss**
- ♡ **Gums**
- ♡ **Rinse**
- ♡ **Sparkle**
- ♡ **Teeth**
- ♡ **Toothpaste**
- ♡ **White**

© Disney

Day at the Dentist

D M I S H E G

T S F E B F T

O P T A R L E

O A T S U O E

T R B W S S T

H K W R H S H

P L H I B J U

A E I N U C O

S A T S U D O

T X E E Q V T

E G U M S R T

Time for a Checkup!

- ♡ **Ears**
- ♡ **Eyes**
- ♡ **Heart**
- ♡ **Height**
- ♡ **Mouth**
- ♡ **Nose**
- ♡ **Reflex**
- ♡ **Weight**

Time for a Checkup!

```
E A R S S H N
M U M A S E O
E Y E S Y I S
B G C J W G E
M O X H E H O
O P V E I T G
U C K A G Y X
T D D R H M N
H T U T T C X
R E F L E X U
M L K P L Y O
```

Laughter is the Best Medicine

- ♡ **Chuckle**
- ♡ **Funny**
- ♡ **Giggle**
- ♡ **In Stitches**
- ♡ **Joke**
- ♡ **Laugh**
- ♡ **Tee-hee**
- ♡ **Witty**

Laughter is the Best Medicine

G I G G L E N

D A K O I L W

P C E F N C I

P H Y F S R T

A U W U T T T

G C Q N I E Y

L K T N T E J

A L W Y C H O

U E W X H E K

G R C Q E E E

H K R F S J J

Happy as a Hippo

♡ **Assistant**

♡ **Caring**

♡ **Check In**

♡ **Friendly**

♡ **Hallie**

♡ **Hippo**

♡ **Hunch**

♡ **Nurse**

Happy as a Hippo

```
D  C  A  R  I  N  G
A  E  M  L  U  G  A
S  Z  M  V  W  F  H
S  C  A  B  D  R  U
I  H  E  X  N  I  N
S  E  N  H  N  E  C
T  C  C  A  U  N  H
A  K  D  L  R  D  I
N  I  J  L  S  L  P
T  N  O  I  E  Y  P
L  J  S  E  L  Z  O
```

Sharing is Caring

- ♡ **Borrow**
- ♡ **Favor**
- ♡ **Kind**
- ♡ **Lend**
- ♡ **Please**
- ♡ **Return**
- ♡ **Share**
- ♡ **Thanks**

Sharing is Caring

H	T	H	A	N	K	S
B	R	K	I	N	D	X
X	B	O	R	R	O	W
R	E	T	U	R	N	U
N	L	E	N	D	S	Q
K	S	H	A	R	E	Z
C	R	V	K	O	D	P
P	L	E	A	S	E	K
F	I	F	A	V	O	R
F	N	Q	H	G	U	Z
B	L	N	P	W	N	D

Super Senses

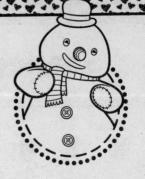

♡ **Ears**

♡ **Eyes**

♡ **Hear**

♡ **Nose**

♡ **See**

♡ **Smell**

♡ **Taste**

♡ **Touch**

Super Senses

```
T A S T E C J
Z J S N O S E
S M E L L Y N
X Q P Q M S J
B E A R S R D
T K T O U C H
L X F Q M B E
H E A R A E Q
Y N S L E Y Z
A P E G Y E B
P M E P A S Q
```

Oh, no! A boo-boo!

- ♡ **All Better**
- ♡ **Bandage**
- ♡ **Boo-boo**
- ♡ **Heal**
- ♡ **Ice**
- ♡ **Kiss**
- ♡ **Ouch**
- ♡ **Owie**

Oh, no! A boo-boo!

V N G O U C H
C H F O H A B
I A P W E H A
K L L B A P N
I L E O L J D
S B N O H U A
S E O B I X G
G T W O H F E
M T I O J X V
D E E W B W U
O R I C E E J

Friends and Family

♡ **Alma**

♡ **Charlie**

♡ **Day**

♡ **Doc**

♡ **Donnie**

♡ **Emmie**

♡ **Luca**

♡ **Mom**

Friends and Family

G F T Q X N D

N G T Z Y F O

T D J D A Y C

C Z Q J F P U

W F M O M S Z

P C A L E M M

C H A R L I E

M D O N N I E

N E M M I E S

M Y B A L M A

U J K L U C A

Fruity Fun

♡ **Apple**

♡ **Banana**

♡ **Berry**

♡ **Cherry**

♡ **Grape**

♡ **Lemon**

♡ **Orange**

♡ **Pear**

Fruity Fun

```
B  A  P  P  L  E  Z
E  D  H  T  Y  S  J
R  T  M  I  J  K  P
R  B  A  N  A  N  A
Y  C  H  E  R  R  Y
P  P  M  O  L  A  C
O  R  A  N  G  E  G
S  J  I  I  B  Q  R
B  B  H  E  B  P  A
L  E  M  O  N  F  P
S  R  P  E  A  R  E
```

Playing House

- ♡ **Dolls**
- ♡ **Family**
- ♡ **Friends**
- ♡ **House**
- ♡ **Imagine**
- ♡ **Party**
- ♡ **Pretend**
- ♡ **Tea**

Playing House

T I F B R P P
E M R M P M P
A A I X R K X
B G E L E Y D
P I N G T F O
Q N D T E A L
E E S Z N M L
E Y O X D I S
O Q Z J Q L Q
H O U S E Y H
P A R T Y J I

Eat Your Veggies!

- ♡ **Broccoli**
- ♡ **Carrot**
- ♡ **Celery**
- ♡ **Corn**
- ♡ **Onion**
- ♡ **Pea**
- ♡ **Pepper**
- ♡ **Potato**

Eat Your Veggies!

```
P   B   V   V   L   W   C
O   R   O   N   I   O   N
T   O   O   W   P   E   X
A   C   E   H   E   W   P
T   C   A   A   A   J   F
O   O   R   G   C   P   C
Y   L   K   E   A   E   E
J   I   P   E   R   P   L
C   O   R   N   R   P   E
C   X   P   Y   O   E   R
X   N   K   M   T   R   Y
```

© Disney

Stuffed Animals

- ♡ **Bear**
- ♡ **Cat**
- ♡ **Dog**
- ♡ **Dragon**
- ♡ **Fish**
- ♡ **Horse**
- ♡ **Lamb**
- ♡ **Monkey**

© Disney

Stuffed Animals

```
L E V Y N K G
A B R H C W X
M B D O H M S
B D B R H O F
E H K S D N B
H M G E R K E
T R B D A E A
F P W L G Y R
I D O G O U N
S L G J N N E
H Y P D C A T
```

Through the Telescope

- ♡ **Aurora**
- ♡ **Comet**
- ♡ **Eclipse**
- ♡ **Galaxy**
- ♡ **Moon**
- ♡ **Planets**
- ♡ **Space**
- ♡ **Stars**

Through the Telescope

```
G A L A X Y J
T A U R O R A
E C L I P S E
C O M E T I C
L H T T J M O
P S T A R S C
S P A C E Y H
P L A N E T S
M J S M O O N
M P U Y G U K
H Y O S N J P
```

Who Needs a Cuddle?

♡ **Bronty**

♡ **Chilly**

♡ **Doc**

♡ **Hallie**

♡ **Lambie**

♡ **Marvin**

♡ **Squeakers**

♡ **Stuffy**

Who Needs a Cuddle?

B R O N T Y P
Z J J G M T S
V C H Z A C Q
G R G H R H U
D P E X V I E
O P E L I L A
C C I Z N L K
G Z Q K V Y E
L A M B I E R
S T U F F Y S
J H A L L I E

© Disney

Boy Toys

- ♡ **Buddy**
- ♡ **Glo-Bo**
- ♡ **Lenny**
- ♡ **Mr. Chomp**
- ♡ **Niles**
- ♡ **Ray**
- ♡ **Riggo**
- ♡ **Sir Kirby**

Boy Toys

K S B U D D Y

R I G G O M Y

X R R J C C Q

X K K F P G L

N I M R R G L E

I R R X A O N

L B C I Y B N

E Y H E G O Y

S J O M M V R

L U M G A P L

V V P M V H U

All About Stuffy

♡ **Blue**

♡ **Brave**

♡ **Clumsy**

♡ **Dragon**

♡ **Helpful**

♡ **Scared**

♡ **Silly**

♡ **Wings**

All About Stuffy

W O B L U E G
S W I N G S Q
I D R M O W B
L J Z U Z X J
L K N D Y B W
Y S C A R E D
M O K A U C U
T I B R A V E
C L U M S Y H
D R A G O N P
H E L P F U L

Healthy Habits

- ♡ **Checkups**
- ♡ **Choices**
- ♡ **Clean**
- ♡ **Eat Well**
- ♡ **Exercise**
- ♡ **Happy**
- ♡ **Rest**
- ♡ **Wash**

Healthy Habits

```
S X E C F K I
Q D E H R L C
H S U O E D H
Q U C I S E A
C E H C T X P
L A E E O E P
E T C S Y R Y
A W K P V C K
N E U C E I Y
H L P W A S H
C L S O B E T
```

Fun in the Tub

♡ **Bath**

♡ **Bubbles**

♡ **Clean**

♡ **Soap**

♡ **Sponge**

♡ **Towel**

♡ **Wash**

♡ **Water**

Fun in the Tub

C L E A N D P
B S P O N G E
W A T E R U B
J Y R L R Y Z
B U B B L E S
E N W B A Q T
W U A A M T U
C O S T I O R
F M H H L W V
W S R R M E Q
S O A P Y L K

Stay Healthy!

- ♡ **Checkup**
- ♡ **Exercise**
- ♡ **Fruits**
- ♡ **Grow**
- ♡ **Milk**
- ♡ **Rest**
- ♡ **Veggies**
- ♡ **Water**

Stay Healthy!

```
M I L K C X C
W U E G W D H
F A X F V T S
R C E R E C K
R H R U G R W
Y E C I G E N
G C I T I S W
R K S S E T A
O U E B S S T
W P T J R S E
H P X K J C R
```

© Disney

Doctor's Orders

- ♡ **Doctor**
- ♡ **Dolls**
- ♡ **Heal**
- ♡ **Hug**
- ♡ **Love**
- ♡ **Nurse**
- ♡ **Sick**
- ♡ **Toys**

Doctor's Orders

F	O	P	S	L	U	D
B	V	N	I	O	Y	Y
Z	N	U	C	V	U	T
E	E	R	K	E	Z	R
M	F	S	M	M	H	D
E	G	E	R	N	Z	O
T	O	Y	S	E	H	C
C	M	A	O	V	E	T
R	M	D	G	A	A	O
H	U	G	V	Q	L	R
F	D	O	L	L	S	Q

Clinic Visit

- ♡ **Bed**
- ♡ **Books**
- ♡ **Measure**
- ♡ **Scale**
- ♡ **Sink**
- ♡ **Soap**
- ♡ **Tissue**
- ♡ **X-ray**

Clinic Visit

```
F  P  S  M  T  L  I
R  X  K  E  I  V  R
W  J  L  A  S  R  D
X  E  X  S  S  H  S
Z  D  R  U  U  O  O
W  S  A  R  E  B  A
G  C  Y  E  B  O  P
I  A  F  F  E  O  C
N  L  G  A  D  K  G
M  E  A  X  F  S  R
R  T  S  I  N  K  P
```

It's Chilly!

- ♡ **Buttons**
- ♡ **Carrot**
- ♡ **Fearful**
- ♡ **Hat**
- ♡ **Scarf**
- ♡ **Snowman**
- ♡ **Sweet**
- ♡ **Worry**

It's Chilly!

```
H  S  C  A  R  F  U
A  F  A  A  W  Z  K
T  E  R  O  I  S  O
H  A  R  B  L  W  W
Y  R  O  U  S  E  O
Q  F  T  T  N  E  R
K  U  Q  T  O  T  R
R  L  A  O  W  U  Y
B  P  C  N  M  A  Y
F  A  V  S  A  Q  B
A  Y  R  G  N  T  W
```

© Disney

Nice to Meet You!

- ♡ **Chilly**
- ♡ **Doc**
- ♡ **Donny**
- ♡ **Emmie**
- ♡ **Hallie**
- ♡ **Lambie**
- ♡ **Squeakers**
- ♡ **Stuffy**

Nice to Meet You!

```
W Y L M L O K
S I N I A A X
Q I P J M T L
U E F A B S H
E M C S I Q A
A M H T E T L
K I I U H D L
E E L F E O I
R C L F G N E
S I Y Y P N X
B D O C U Y F
```

© Disney

Day at the Park

- ♡ Birds
- ♡ Clouds
- ♡ Field
- ♡ Flower
- ♡ Garden
- ♡ Grass
- ♡ Sun
- ♡ Trees

Day at the Park

```
D  Q  N  G  F  Y  G
Z  C  M  A  G  M  J
P  L  H  R  A  T  F
J  O  H  D  B  R  I
C  U  F  E  I  E  E
O  D  L  N  R  E  L
M  S  O  S  D  S  D
W  A  W  U  S  G  V
Q  T  E  N  Z  V  L
C  L  R  P  A  N  T
G  G  R  A  S  S  I
```

Big Book of Boo-boos

- ♡ **Cure**
- ♡ **Heart**
- ♡ **Notebook**
- ♡ **Notes**
- ♡ **Pages**
- ♡ **Paper**
- ♡ **Pen**
- ♡ **Write**

Big Book of Boo-boos

```
Y V A Q W E P
C E E C R N P
E J T U I O F
T U X R T T V
D H P E E E P
H N E L X B A
E O N S T O G
A T L L K O E
R E C V V K S
T S T W O M I
W P A P E R L
```

A Good Night's Rest

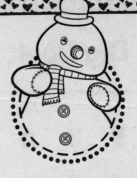

- ♡ **Blanket**
- ♡ **Dream**
- ♡ **Night**
- ♡ **Pajamas**
- ♡ **Pillow**
- ♡ **Sheets**
- ♡ **Sleep**
- ♡ **Tired**

A Good Night's Rest

```
Q  T  G  M  F  A  P
U  I  B  R  Z  Y  A
S  R  L  W  T  S  J
Z  E  A  E  P  H  A
B  D  N  P  I  E  M
Y  K  K  O  L  E  A
D  N  E  P  L  T  S
R  I  T  A  O  S  L
E  G  E  K  W  T  E
A  H  P  I  M  X  E
M  T  K  O  T  W  P
```

© Disney

Know Your Body

♡ **Arms**

♡ **Belly**

♡ **Elbows**

♡ **Head**

♡ **Knees**

♡ **Legs**

♡ **Shoulders**

♡ **Toes**

Know Your Body

H P T H V S C
E I O E B H G
A L E O E O B
D E S X L U P
T G R P L L Z
B S H O Y D E
T H S A C E L
D W U M W R B
A R M S O S O
K N E E S B W
M G L Z T C S

© Disney

The Most Important Meal

- ♡ Cereal
- ♡ Eggs
- ♡ Fruit
- ♡ Honey
- ♡ Juice
- ♡ Milk
- ♡ Muffin
- ♡ Toast

The Most Important Meal

```
J  J  U  I  C  E  Y
P  K  M  I  L  K  J
U  I  I  Q  G  U  S
M  U  F  F  I  N  M
O  F  C  C  T  X  W
Y  R  Z  E  O  S  I
Y  U  A  R  A  H  O
I  I  G  E  S  O  I
I  T  U  A  T  N  W
L  P  C  L  D  E  U
Q  E  G  G  S  Y  N
```

What's for Lunch?

- ♡ **Cheese**
- ♡ **Dairy**
- ♡ **Fruit**
- ♡ **Juice**
- ♡ **Sandwich**
- ♡ **Snack**
- ♡ **Water**
- ♡ **Wheat**

What's for Lunch?

```
F  B  B  Y  S  B  V
E  S  X  J  A  W  C
A  N  E  D  N  H  H
F  A  L  J  D  E  E
R  C  A  U  W  A  E
U  K  N  I  I  T  S
I  L  K  C  C  R  E
T  E  P  E  H  K  L
C  S  A  Q  V  M  J
D  A  I  R  Y  Q  S
W  A  T  E  R  M  M
```

© Disney

Answer Key

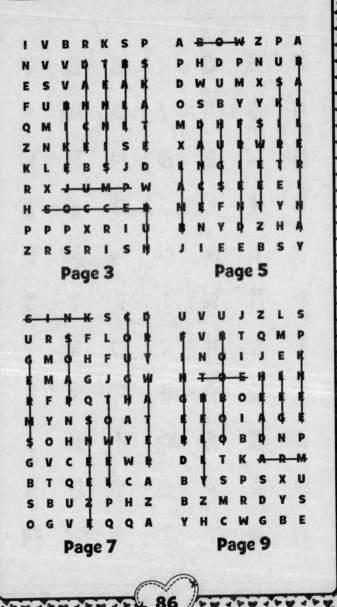

Page 3

```
I V B R K S P
N V V D T B S
E S V A E A K
F U B N M E A
Q M I C N E T
Z N K E I S E
K L E B S J D
R X X J U M P W
H S O C C E R U
P P P X R I U
Z R S R I S N
```

Page 5

```
A B O W Z P A
P H D P N U B
D W U M X S A
O S B Y Y K L
M D H F S I E
X A U R W R E
L N G I E T R
A C S E E E I
M E F N T Y N
B N Y D Z H A
J I E E B S Y
```

Page 7

```
S I N K S C D
U R S F L O R
G M O H F U Y
E M A G J G W
R F P Q T H A
M Y N S O A T
S O H N W Y E
G V C E E W R
B T Q E L C A
S B U Z P H Z
O G V E Q Q A
```

Page 9

```
U V U J Z L S
F V B T Q M P
I N O I J E K
N T O E H E N
G B B O E E E
E E O I A G E
R L O B D N P
D L T K A R M
B Y S P S X U
B Z M R D Y S
Y H C W G B E
```

86

© Disney

Answer Key

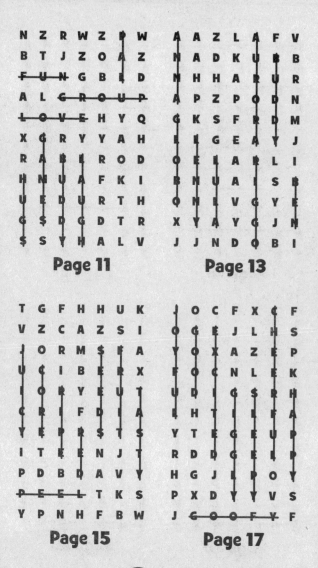

```
N Z R W Z P W          A A Z L A F V
B T J Z O A Z          M A D K U B B
F U N G B E D          N H H A R U R
A L G R O U P          A P Z P O D N
L O V E H Y Q          G K S F R D M
X G R Y Y A H          E I G E A Y J
R A B E R O D          O E A R L I
H M U A F K I          R N U A I S B
U E D U R T H          O N L V G Y E
G S D G D T R          X Y A Y G J N
S S Y H A L V          J J N D O B I
```

Page 11   **Page 13**

```
T G F H H U K          J O C F X C F
V Z C A Z S I          O G E J L H S
J O R M S F A          Y O X A Z E P
U C I B E R X          F O C N L E K
I O R Y E U T          U D I G S R H
C R I F D I A          L H T I L F A
Y E P R S T S          Y T E G E U P
I T E E N J T          R D O G E L P
P D B D A V Y          H G J L P O Y
P E E L T K S          P X D Y Y V S
Y P N H F B W          J G O O F Y F
```

Page 15   **Page 17**

87

© Disney

Answer Key

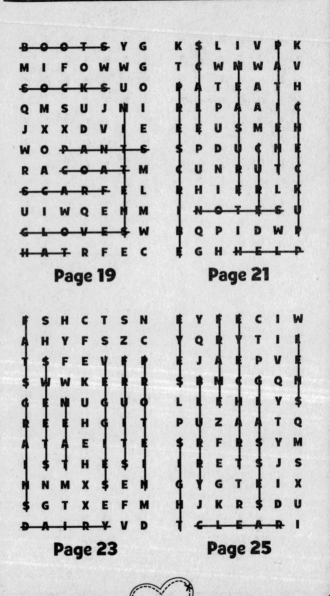

Page 19

```
B O O T S Y G
M I F O W W G
S O C K S U O
Q M S U J N I
J X X D V I E
W O P A N T S
R A C O A T M
S C A R F E L
U I W Q E N M
G L O V E S W
H A T R F E C
```

Page 21

```
K S L I V D K
T C W M W A V
D A T E A T H
R L P A E C
E E U S M E H
S P D U C N E
C U N R U T C
R H I E R L K
I N O T E S U
B Q P I D W P
E G H H E L P
```

Page 23

```
F S H C T S N
A H Y F S Z C
T S F E V E P
S W W K E R R
G E N U G U O
R E E H G I T
A T A E L T E
I S T H E S I
N N M X S E N
S G T X E F M
D A I R Y V D
```

Page 25

```
E Y F E C I W
Y Q R Y T I L
E J A E P V E
R B M C G Q N
L L F H L Y S
P U Z A A T Q
S R F R S Y M
I R E T S J S
G Y G T E I X
H J K R S D U
T C L E A R I
```

Answer Key

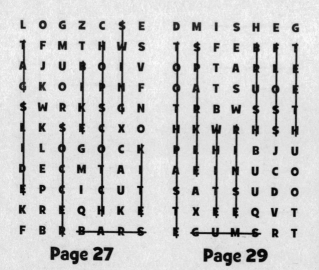

Page 27

Page 29

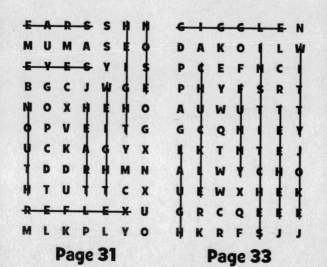

Page 31

Page 33

Answer Key

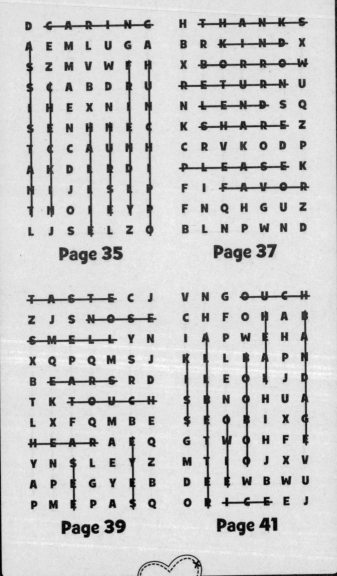

Page 35

```
D CARING GA
A E M L U G A
S Z M V W E H
S C A B D R U
I H E X N I N
S E N H H E C
T C C A U M H
A K D L R D I
N I J E S E P
T M O I E Y P
L J S E L Z Q
```

Page 37

```
H THANKS
B R KIND X
X BORROW
RETURN U
N LENDS Q
K SHARE Z
C R V K O D P
PLEASE K
F I FAVOR
F N Q H G U Z
B L N P W N D
```

Page 39

```
TASTE C J
Z J S NOSE
SMELL Y N
X Q P Q M S J
B EARS R D
T K TOUCH
L X F Q M B E
HEAR A E Q
Y N S L E Y Z
A P E G Y E B
P M E P A S Q
```

Page 41

```
V N G OUCH
C H F O H A B
I A P W E H A
K E L B A P N
I L E O I J D
S B N O H U A
S E O B I X G
G T W O H F E
M T I Q J X V
D E E W B W U
O R ICE E J
```

90

Answer Key

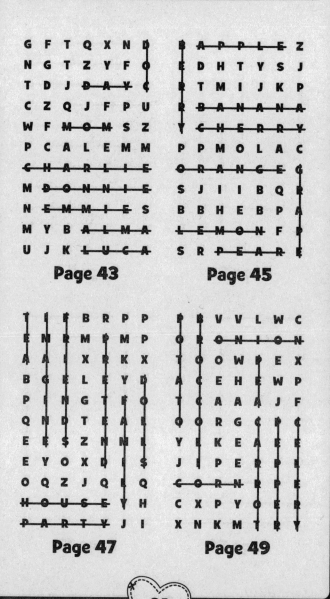

```
G F T Q X N D        B A P P L E Z
N G T Z Y F O        E D H T Y S J
T D J D A Y C        R T M I J K P
C Z Q J F P U        R B A N A N A
W F M O M S Z        Y C H E R R Y
P C A L E M M        P P M O L A C
C H A R L I E        O R A N G E G
M D O N N I E        S J I I B Q R
N E M M I E S        B B H E B P A
M Y B A L M A        L E M O N F P
U J K L U C A        S R P E A R E
```

Page 43   **Page 45**

```
T I E B R P P        P B V V L W C
E M R M P M P        O R O N I O N
A A X R K X          T O O W P E X
B G E L E Y D        A C E H E W P
P I N G T E O        T C A A A J F
Q N D T E A L        O O R G C B C
E E S Z N M L        Y L K E A E E
E Y O X D I S        J I P E R P L
O Q Z J Q L Q        C O R N R P E
H O U S E Y H        C X P Y O E R
P A R T Y J I        X N K M T R Y
```

Page 47   **Page 49**

91

Answer Key

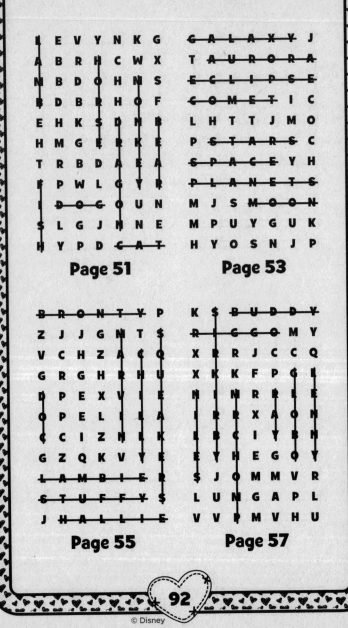

```
L E V Y N K G        G A L A X Y J
A B R H C W X        T A U R O R A
N B D O H N S        E C L I P S E
B D B R H O F        C O M E T I C
E H K S D N B        L H T T J M O
H M G E R K E        P S T A R S C
T R B D A E A        S P A C E Y H
F P W L G Y R        P L A N E T S
I D O G O U N        M J S M O O N
S L G J N N E        M P U Y G U K
H Y P D C A T        H Y O S N J P
```

Page 51

Page 53

```
B R O N T Y P        K S B U D D Y
Z J J G N T S        R I G G O M Y
V C H Z A C Q        X R R J C C Q
G R G H R H U        X K K F P G L
D P E X V I E        N I N R R E E
O P E L I E A        I R R X A O N
G C I Z N L K        L B G I Y B N
G Z Q K V V E        E Y H E G O Y
L A M B I E R        S J O M M V R
S T U F F Y S        L U N G A P L
J H A L L I E        V V P M V H U
```

Page 55

Page 57

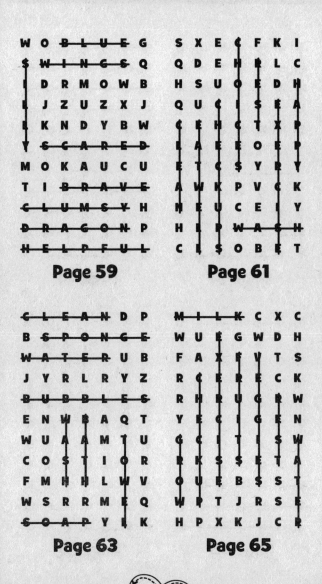

Answer Key

Page 59

Page 61

Page 63

Page 65

Answer Key

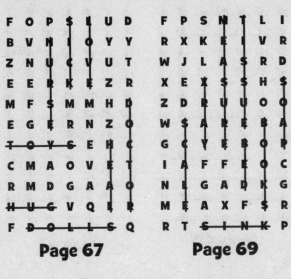

Page 67

Page 69

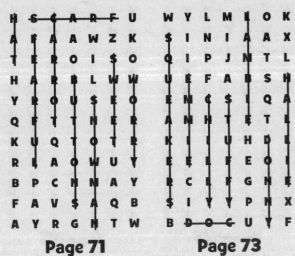

Page 71

Page 73

Answer Key

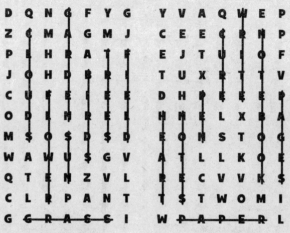

```
D Q N G F Y G        Y V A Q W E P
Z C M A G M J        C E E C R N P
P L H R A T F        E J T U I O F
J O H D B R I        T U X R T T V
C U F E I E E        D H D E E E D
O D I M R E I        H N E L X B A
M S O S D S D        E O N S T O G
W A W U S G V        A T L L K O E
Q T E N Z V L        R E C V V K S
C L R P A N T        T S T W O M I
G G R A S S I        W P A P E R L
```

Page 75   **Page 77**

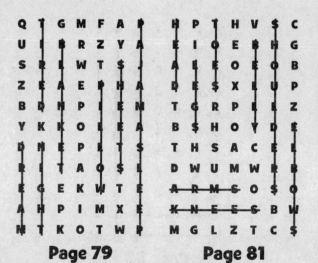

```
Q T G M F A D        H P T H V S C
U I B R Z Y A        E I O E B H G
S R I W T S J        A L F O E O B
Z E A E P H A        D E S X L U P
B D M P I E M        T G R P L L Z
Y K K O L E A        B S H O Y D E
D M E P L T S        T H S A C E E
R I T A O S L        D W U M W R B
E G E K W T E        A R M S O S O
A H P I M X E        K N E E S B W
M T K O T W P        M G L Z T C S
```

Page 79   **Page 81**

95

© Disney

Answer Key

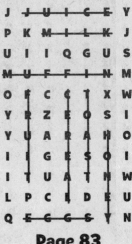

Page 83

Page 85